Rosa M. Curto

Dessine le monde des Fées

D1444354

EH Héritage jeunesse

Livre 2

Des bonbons créatifs

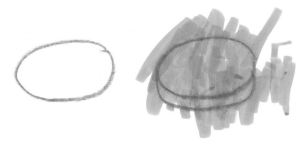

Ronds, allongés, triangulaires, mous, durs... il existe toutes sortes de bonbons et différentes couleurs de chocolat.

2

Voici certains des bonbons que la fée cuisinière prépare.

Elle fait même des suçons sucrés en forme de chiffres.

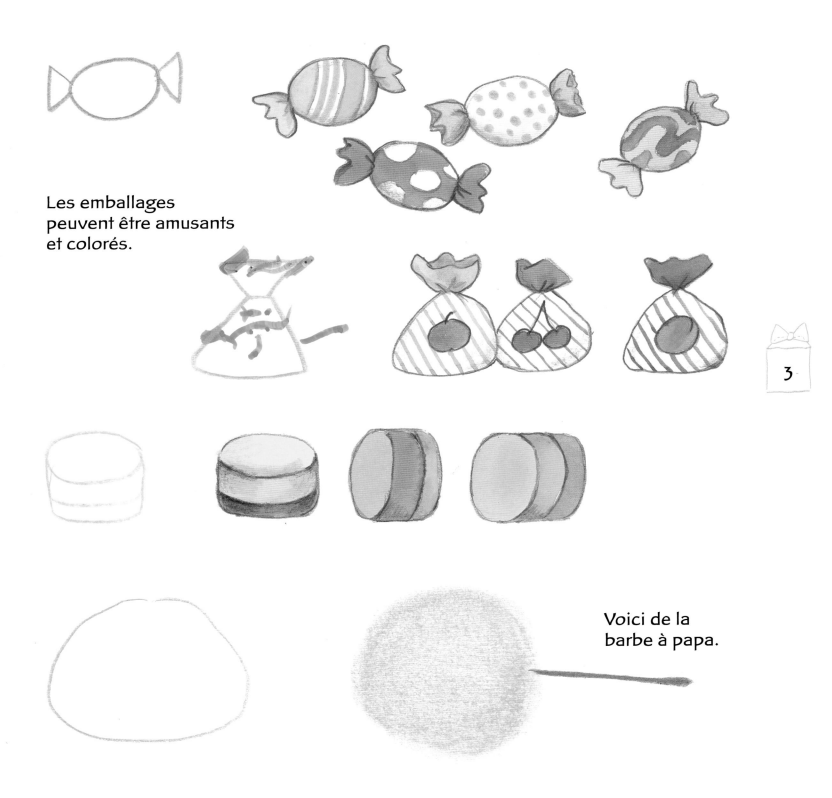

Les emballages peuvent être amusants et colorés.

Voici de la barbe à papa.

3

Du chocolat à profusion

Toutes les fées adorent le chocolat.

Elles aiment tellement son goût!

Lors des fêtes, on trouve toujours
des fruits enrobés de chocolat.

Pourquoi ne dessinerais-tu pas des gâteries chocolatées ?
Tu peux même créer de nouveaux plats.

Leurs formes sont simples à reproduire.
La deuxième étape consiste à les colorier et à les décorer.

5

Une boucle pour chaque occasion

Confectionner des boucles de différentes formes est un art.
Et les fées en savent long sur le sujet.

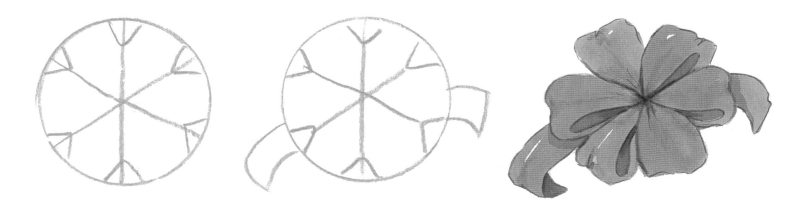

Elles en mettent dans leurs cheveux et sur
leurs robes. Elles les utilisent comme décorations
pendant les festivals et sur les cadeaux.

7

De précieux cadeaux

Il est très important pour les fées
d'emballer leurs cadeaux à la perfection.

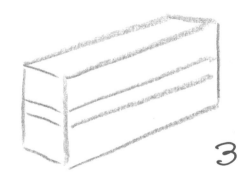

Donner un cadeau joliment présenté est
une façon pour elles de montrer leur affection.

Essaie de recréer celui-ci en quatre étapes.

2

1

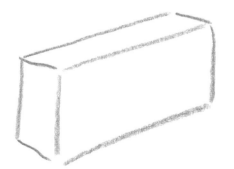

9

3

Dessine d'abord deux
rectangles parallèles.

Ajoute du volume.

Mets un ruban.

*Les fées adorent
donner des cadeaux
et en recevoir !*

Trace une boucle
et applique
la couleur.

4

Des contenants pour leurs secrets

Les fées collectionnent les petits contenants.

10

Si tu veux faire plaisir à une fée...

donne-lui une petite bouteille ou une boîte décorée.

Elles les utilisent pour entreposer de la poussière magique, des crèmes guérissantes et des herbes coupées pour préparer des infusions.

Des robes et des accessoires

Les fées aiment marcher pieds nus, mais elles doivent parfois se protéger à l'aide d'éléments de la nature : feuilles, pétales, tiges, pelures de fruits...

Remarque : Si jamais tu trouves un ruban en marchant dans la forêt, cela signifie qu'une fée était sur place il y a peu de temps.

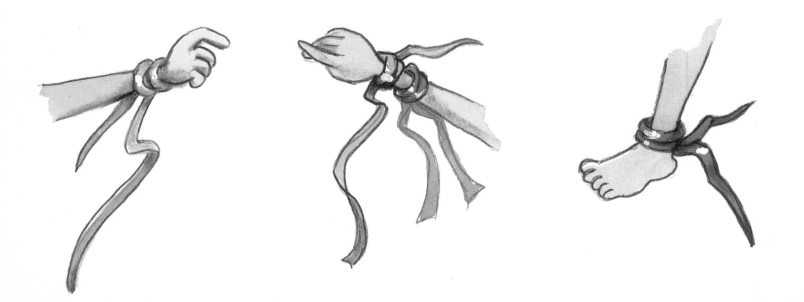

Les robes et les chaussures des fées sentent les plantes et les fleurs.

Robe d'automne

À l'automne, les robes ont les mêmes teintes que les feuilles
qui tombent des arbres : brunes, rouges et jaunes.

Robe du printemps

Au printemps, lorsque les plantes sont en fleur, les fées peuvent
combiner les feuilles vertes aux pétales colorés.

Les fleurs des fées

Le monde des fées n'existerait pas sans les fleurs, et vice versa.

Certaines fées aiment se faire rapetisser afin de se cacher à l'intérieur des fleurs encore à moitié fermées ou en forme de cloche. Elles peuvent tout voir de leur cachette. Et elles te regardent.

Tu peux les dessiner en trois étapes.

Regarde attentivement! Voici la même fleur dans deux positions différentes.

Observe bien les formes et ne te presse surtout pas.
Dessiner chaque étape t'aidera beaucoup.

Les nénuphars

Les nénuphars sont des plantes aquatiques.
Elles vivent donc dans l'eau.

  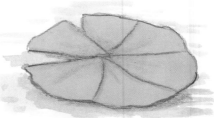

16

Leurs feuilles flottent à la surface de l'eau et leurs fleurs,
tout en pétales, sont magnifiques.

Les nymphes ou les fées d'eau vivent d'ailleurs
parmi les nénuphars.

Ajoute une tige à la fleur.

Les fées alchimistes fabriquent des huiles et des parfums.

Que penses-tu de celle-ci ?

Quatre petites étapes suffisent pour un résultat spectaculaire.

Toutes les fées connaissent les nénuphars.
Elles les utilisent pour se reposer ou se faire bronzer.

17

De brillantes lucioles

Voici huit lucioles différentes, toutes conçues en trois étapes.

Elles se cachent pendant la journée mais, à la tombée de la nuit, elles se déplacent telles de petites lanternes en mouvement.

Si les fées manquent d'énergie et sont très fatiguées, les lucioles sont les candidates idéales pour les aider lorsqu'il fait noir. Ces dernières illuminent leur environnement.

Des têtards et des grenouilles

Quatre étapes sont nécessaires pour dessiner un têtard.

1

2

3

Lorsque le têtard grandit, il devient une grenouille.

4

1

Pour ce qui est de la grenouille, commence par assembler deux formes simples.

2

3

4

Continue en dessinant ses pattes.

Et colorie-la.

Devrait-on en dessiner une autre en cinq étapes ?

1

Commence par
deux formes simples.

2

Ajoute les
pattes arrière.

Dessine ensuite les yeux
et les pattes avant.

3

4

Arrondis les traits
avant de mettre de
la couleur.

5

Grâce à leurs croassements,
les grenouilles peuvent
communiquer parfaitement
avec les nymphes et les
fées d'eau. Leurs chants
annoncent la pluie à venir.

Les ratons-laveurs, des amis charmants

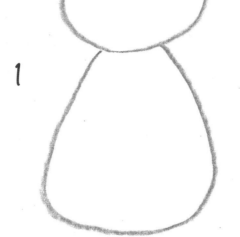

1

Commence avec deux formes simples.

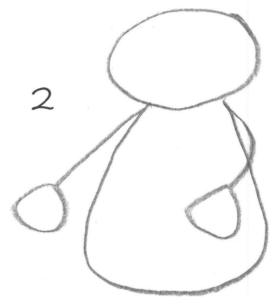

2

Place les pattes avant.

3

Et donne-leur du volume.

4

Dessine les oreilles, le nez et les pattes arrière.

5

Ajoute des détails...

Ce raton-laveur est le meilleur ami de la fée Diana.

6

et applique la couleur !

23

La fée souriante

1 Commence avec trois formes géométriques.

2 Ajoute les rebords du col et de la robe.

24

Écoute attentivement les bruits de la forêt.
Tu entendras peut-être son rire puisque le vent le transporte.

3 Puis place les manches.

4 Et dessine les mains et les cheveux.

Trace les jambes et les pieds.

5

Dessine les ailes
et la tresse.

6

25

Après avoir ajouté les traits
du visage, finalise les détails
et applique la couleur.

7

La fée de la montagne

Commence avec deux formes.

1

Dessine une partie
de la robe,

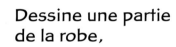

26

2

3

puis le cou et
les cheveux.

4

Ajoute les bras et
termine la robe.

Donne du volume aux manches.
Trace les jambes.

5

Elle est très intelligente et partage avec les autres tout ce qu'elle sait.

6

Arrondis les jambes
et les ailes.

7

Peaufine le tout et applique la couleur.
Bien qu'elle ait des cheveux gris,
cette fée possède un cœur d'enfant.

La fée Diana

1

2

28 Trois formes simples composent son corps.

Trace les cheveux et le cou.

3

4

Arrange les cheveux et le cou.

Améliore encore les cheveux.
Dessine ensuite la robe et les oreilles.

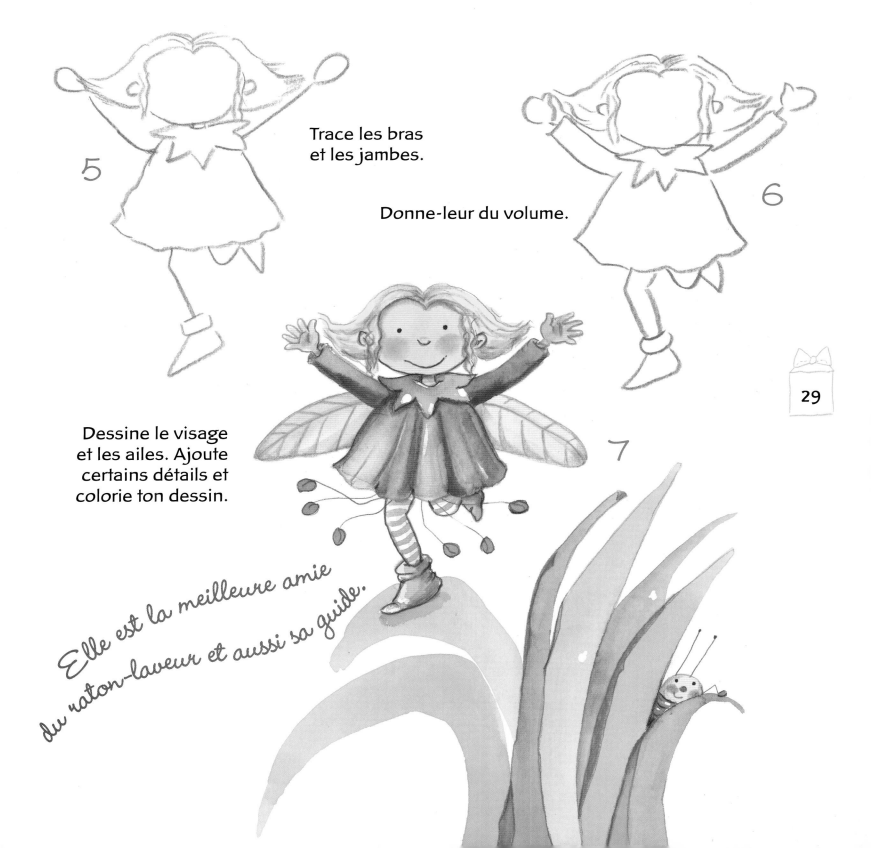

5

Trace les bras
et les jambes.

Donne-leur du volume.

6

Dessine le visage
et les ailes. Ajoute
certains détails et
colorie ton dessin.

7

29

Elle est la meilleure amie
du raton-laveur et aussi sa guide.

La fée Mélissa

1

Commence par trois formes.

2

Trace les bras.

3

Ajoute les jambes.

4

Dessine la robe et les manches.

Donne du volume aux cheveux,
aux bras et aux jambes.

5

6

Mets en place les
oreilles et les ailes.

Toujours positive, elle est aussi une nageuse hors pair.

Peaufine les détails et
applique la couleur.

7

Le mimétisme

Lorsque les fées veulent se cacher, elles se transforment en adoptant les couleurs de leur milieu comme le font les animaux.

Elles se camouflent ;

elles changent de couleur et de forme.

Elles arrivent à disparaître à travers
les fleurs, les feuilles, les troncs d'arbre,
les nuages et les brins de blé.

C'est maintenant
à ton tour !

Dessine une fée qui
se fond dans son
environnement.
Trouve les animaux
qui arrivent à se
camoufler. (Demande
à un adulte de t'aider.)

Imagine

Les fées utilisent des éléments naturels pour fabriquer leurs maisons, qui sentent d'ailleurs toujours bon.

Sais-tu comment le toit de cette maison a été construit ? Avec trois feuilles.

34

Et celle-ci ? Avec une fleur à plusieurs tiges.

Regarde !
Comment a-t-on dessiné cette maison ?

Et celle-ci ?

Je te suggère d'imaginer un village de fées composé de diverses maisons et de le dessiner. Voici un exemple.

Livre 2

Dessine le monde des fées

Texte et illustrations : Rosa M. Curto

Conception : Gemser Publications, S.L.

Pour le Canada

© Les éditions Héritage inc. 2012

Traduction : Claudine Azoulay

ISBN 978-2-7625-9425-6

Imprimé en Chine

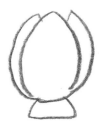